The Lost Treasures of Baja California

by Padre James Donald Francez

Black Forrest Press

March 1996

Spanish Translation by Martha Quinne
Design and Layout by Gnu Graphics, El Cajon, CA

Printed in the United States of America
Library of Congress
Cataloging-in-Publication

ISBN: 1-881116-72-7

The Lost Treasures of Baja California

by Padre James Donald Francez

Black Forrest Press
539 Telegraph Canyon Road
Box 521
Chula Vista, CA 91910
619 656-8048

Publisher's Cataloging in Publication
(Prepared by Quality Books Inc.)

Francez, James D.
   The lost treasures of Baja California / James D. Francez.
   p. cm.
   ISBN: 1-881116-72-7.

   1. Spanish mission buildings--Baja California (Mexico)--
Pictorial works. 2. Missions, Spanish--Baja California (Mexico)--
Pictorial works. 3. Baja California (Mexico)--History.   I.
Title.

F1246.F73 1996   972
                                        QBI96-20474

Dedication and Acknowledgements

This book is dedicated to our Founder, Daniel Comboni, First Bishop of Central Africa.

The pictures in this book clearly indicate a certain mystery that cannot be explained and understood by human means. If only the reader could see Baja California as it is, then he or she would more thoroughly understand how improbable was the building of these architectural wonders.

It is only through a supernatural faith that missionaries were led to accomplish such unbelievable feats in the face of constant imminent danger, tremendous hardship, and personal sacrifice. Poverty and isolation were their biggest and roughest encounters which they struggled daily to overcome.

Faith, determination and spiritual training forces us to see beyond the reality of each passing moment. May you, the reader, see the goodness of God in this book. May you come to know, through this pictorial history of the Baja Missions, the past splendor of their construction. May you realize the richness of the missionary passion, for serving God through the innumerable adversities faced by these loyal servants, while suffering under perpetual intolerable and inhospitable conditions.

My thanks go to the Carmelite Sisters of Lafayette, Louisiana for their prayers and moral support. To Pat and Elaine Blackmore, Angel Corona and Ruben Zavala of San Diego for their material help. To Burk and Allison Royle, Frank and Sandy Smelik and Harriet Pratt of San Diego. To Dennis and Fran Peterson, who for five years wrote my chronology. And to my two faithful workers, Francisco Javier Mendoza and Enrique Zamora.

Este libro es dedicado a nuestro fundador, Daniel Comboni, Primer Obispo de Africa Central.

Las fotografías en este libro indican claramente cierto misterio que no puede ser explicado ni comprendido por la razón humana. Si el lector solo pudiera ver a Baja California tal como es, entonces podría comprender más a fondo qué tan improbable fue la construcción de estas maravillas de la arquitectura.

Fue a causa de una fe sobrenatural que los misionarios pudieron lograr tales proezas increibles al frente de el constante e inminente peligro, tremendo sufrimiento y sacrificio personal. La pobreza y la soledad fueron sus más grandes y difíciles obstáculos, que lucharon por sobrellevar diariamente.

La fe, determinación y entrenamiento espiritual nos obligan a ver más allá de la realidad de cada momento que pasa. Esperamos que usted, el lector, vea la bondad de Dios en éste libro. Esperamos que conozca, a través de esta historia pictórica de las Misiones de Baja, el esplandor pasado de su construcción. Esperamos que llegue a conocer la riqueza de la pasión misionera, para servir a Dios a pesar de las innumerables adversidades sufridas por estos sirvientes leales, mientras que vivían condiciónes perpetuamente intolerables.

Doy gracias a las Hermanas Carmelitas de Lafayette, Louisiana por sus oraciones y apoyo moral. A Pat y Elaine Blackmore, Angel corona y Ruben Zavala de San Diego for su ayuda material. A Burk y Allison Royle, Frank y Sandy Smelik y Harriet Pratt de San Diego. A Dennis y Fran Peterson, quienes escribieron mi cronología por cinco años. Y a mis dos leales ayudantes, Francisco Javier Mendoza y Enrique Zamora.

Table of Contents

Prologue

Man, through the ages, has built monuments to himself, accomplished by using legions of humanity. The pyramids of Egypt and the great Wall of China attest to the greatness of the human intelligence and wisdom. Whether to act as a defense mechanism or as a tribute to past kings the recipient was man.

"For the greater glory of God," was the motto of the Jesuits and the cornerstone for the missions of Baja California. Due to vows which forbade receiving payment for services, the Jesuits were dependent on charitable donations to fund their quest to bring civilization and Christianity to Baja California.

After the Spanish Crown abandoned the territory, the Jesuits were given free reign and the opportunity to create a spiritual wonder in the wilds of Baja California.

Through the grace of God, the Jesuits were able to win the hearts of the natives and, in union, create a better way of life, physically and spiritually.

This was an adventure undertaken by a handful of courageous men. Padre Kino was a man of diplomacy and a pacifier. Padre Salvatierra was a true spiritual leader and motivator. Padre Ugarte was a jack-of-all-trades: an architect, builder and farmer. Padre Piccolo was a visionary and collaborator. Padre Consag, a great explorer was also a visionary. Padres Barco, Retz, Inama and Link (also a daring explorer) were known for their farming and building prowess.

These padres were the principal founders of the missions of Baja California. They left a legacy for all to see. The principal motive of this book is to give visual insight to the missions but not so much a complete history.

Las maravillas del mundo tales como la Gran Muralla China y las Pirámides de Egipto, nos hacen refleccionar sobre la grandeza de la inteligencia humana. El gran rio Nilo, supercarretera navegable, alimentó a los dueños de las pirámides. Los miles de esclavos podían fácilmente terminar tal obra colosal.

Los misioneros Jesuitas, recibieron un entrenamiento espiritual que no se puede comparar con el de los egipcios. Las maravillas del mundo fueron hechas por motivos materiales y personales, para su propio fin y beneficio. Los misioneros hicieron sus obras para la gloria de Dios, sin recompenza ni interés personal. La corona española no podría nunca lograr la colonización del territorio, solo la gracia de Dios que estaba con ellos, que es capaz de hacer esta obra sobrenatural. El carisma del Padre Kino, sus dotes diplomáticas y pacificadoras; el Padre Salvatierra, de ser Padre espiritual y animador; el Padre Ugarte, hombre práctico en la construcción y en agricultura; el Padre Píccolo, visionario y buen colaborador; el Padre Consag, gran explorador y entusiasta; el Padre Barco, gran constructor y detallista; el Padre Link, gran explorador y excelente en ganadería; el Padre Retz, práctico en la construcción y la agricultura; el Padre Inama, un excelente constructor.

El motivo principal de este libro es de presentar al público una visión fotográfica que abarque los más detallados aspectos de las principales misiones. Las capillas de asistencia no existen ya en su forma original, a excepción de San Bruno y San Juan Londó por motivo historico. Tampoco existe Ligüí (que era misión), pues solo quedan ruinas.

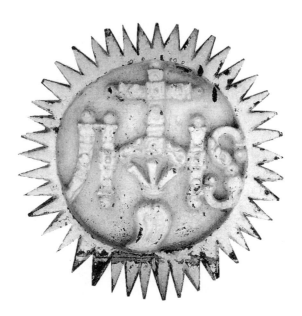

"For the greater glory of God."
"Para la gloria de Dios."

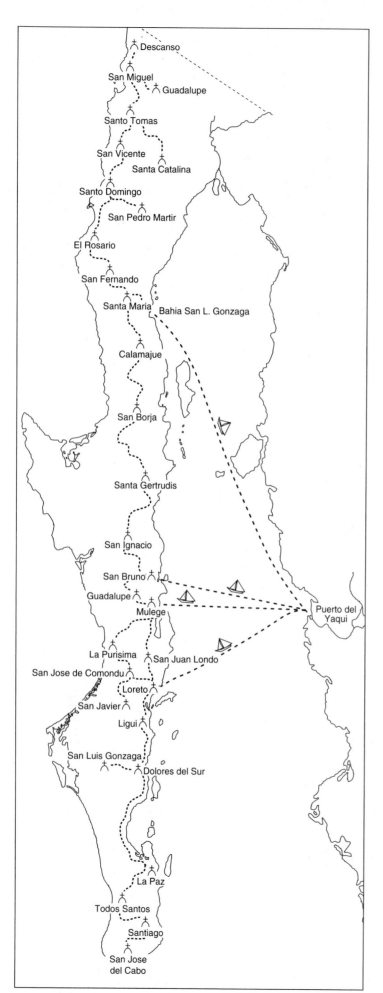

Missions of Baja

The map at left shows the location of each of the missions, plus the routes (land and sea) used by the missionaries. Below is a listing of each of the missions, founders and year.

Misiones, año de fundación y sus fundadores

Mission	Founder/s	Year
San Bruno	P. Kino & Gogni	1683
San José de Comondú	P. Kino	1684
Loreto	P. Salvatierra	1697
San Juan Londó	P. Salvatierra	1699
San Francisco Javier	P. Piccolo & Ugarte	1699
Ligüi	P. Pedro Ugarte	1705
Mulegé	P. Manuel Basaldua & Piccolo	1705
San José de Comondú	P. Salvatierra, Ugarte & Mayorga P. Wagner (1750)	1708
La Purísima	P. Piccolo & Tamaral	1720
La Paz	P. Ugarte & Bravo	1720
Guadalupe	P. Everad Helen	1720
Dolores del Sur	P. Guillen, Hostell & Baegert	1721
Santiago de Los Coras	P. Napoli & Bravo	1721
San Ignacio	P. Piccolo & Luyando	1728
San José del Cabo	P. Tamaral	1730
Todos Santos	P. Bravo & Tamaral	1733
San Luis Gónzaga	P. Guillen & Hostell	1740
Santa Gertrudis	P. Consag & Retz	1752
San Franciso Borja	P. Retz & Link	1762
Santa Maria	P. Link, Arnes & Diez	1767

San Bruno (1683)

The history of European influence in Baja began with Hernando Cortez in 1535. Drawn by the abundance of pearls off the southern shores, Cortez arrived, in three boats, with 500 Spaniards, some with families. They remained there for two years before being driven off by the Pericue and Guaicura Indians and the general hardship of the area.

In 1596, Sebastion Vizcaino departed from Acapulco to La Paz. From there he sailed southward around the cape and continued north. He sailed as far north, along the coast, as Cape Mendocino. The map drawn up on this voyage was the best available for the next 200 years.

1615 brought the first exploration of the Sea of Cortez.

The governor of Sinaloa and Jesuit priest Vicente Cortez sailed to the Bay of La Paz in the year 1642.

On April 2, 1683, Admiral Isidoro Atondo y Antillon with Padres Kino, Gogni and Alegre attempted the first colonization of Baja. They sailed to the Bay of La Paz but were forced back to the mainland of Mexico due to Indian hostility.

The next month, a second expedition failed due to a storm that forced them to throw their animals overboard to save the ship.

A third attempt was made. The expedition left the mainland on September 29, 1683, and arrived, on October 6, at the mouth of a river; they and named the area San Bruno. Upon landing, they erected a cross and prayed for Divine assistance in their quest to christianize California.

El nacimiento de Baja California tuvo su principio en 1535, originado por Hernán Cortez. Las abundantes perlas hermosas de la Bahía de La Paz, eran irresistibles para Cortez y sus marineros, quienes el día 3 de mayo, llegaron con sus familias a dicho lugar en tres barcos, un total de 500 personas. Podemos suponer que la pesca de perlas era muy buena, ya que estuvieron allí 2 años, dejando incluso sus intereses en el interior a pesar de grandes obstaculos, incluyendo la hostilidad de los nativos Pericúes y Guaycuras. Todo esto obligó a los colonistas a abandonar el territorio.

En 1542, Juan Rodríguez C., hizo una exploración en la bahía de La Paz, saliendo al sur a Cabo San Lucas y de allí, hasta el norte de California. En 1596, Sebastian Vizcaino salió de la bahía de La Paz hacia Cabo San Lucas, navegando la costa oeste y elaborando así el primer mapa que se utilizó por 200 años.

En 1615, se realizó una expedición por el Mar de Cortéz, a cargo del capitán Juan de Hiturbi.

En 1642, el gobernador Cestín de Cañas de Sinaloa, en compañía del Padre Jesuita Vicente Cortéz, navegó la bahía de La Paz.

El 2 de abril de 1683, el almirante Isidro Atondo y Antillón, acompañado por los Padres Francisco Eusebio Kino, Matias Gogni y el P. Alegre, llegó a las costas de San Bruno desembarcando allí, pero debido a la gran hostilidad con que fueron recibidos, la expedición fue obligada a regresar al interior. Muy pronto, en mayo del mismo año, salió el

With the help of the natives, they constructed a chapel and dwellings which began the first real attempt to colonize the peninsula. Expeditions were made inland to the future mission sites of San Juan Bautisto Londo, San Francisco Javier, San Jose Comondu, and La Purisima; also along the Pacific Coast. Padres Kino and Gogni were very pleased with the friendliness of the natives and baptized more than 500 converts.

Because of the lack of a safe harbor and the sterile environment, they abandoned the site at San Bruno. This expedition had cost the Spanish Crown $225,000; it was unhappy with the outcome. Without the help of the Crown, Padre Kino planned to return with Padre Salvatierra with the sole intention to evangelize the natives. The plan was approved by their superiors.

Padre Salvatierra, on a donkey, departed Mexico City for Port Yaqui, 1500 miles away. Visiting the various missions along the way, he learned of an Indian uprising in the sierras and returned there to restore peace before continuing his journey.

Padre Kino was detained by the government to help maintain peace with the natives in Sonora.

Padre Piccolo was chosen to replace Padre Kino. Plans were continued for the expedition through Baja. After securing the necessary provisions, they set sail from Port Yaqui and arrived on October 19, 1697 in Loreto.

segundo viaje del puerto San Blas, Nayarit encabezado por Antillón y los Padres Francisco E. Kino, Juan C. y Matías Gogni. Dos barcos fueron cargados con 19 caballos y otros 140 animales domésticos, pero debido al mal tiempo y para poder sobrevivir, tuvieron que lanzar fuera de los barcos a todos los animales, cerca de la isla Coronados.

Por fin, el 29 de septiembre de 1683, la tercera expedición comenzó desde San Lucas (Agiabampo) llegando el día 6 de octubre a la costa de San Bruno con los dos capitanes y 3 padres, quienes hicieron una cruz y de rodillas imploraron a la Divina ayuda por la conversión de los nativos y la conquista de California.

Con la ayuda de los nativos tan amables, les fue posible construir una capilla y casas para vivienda. De San Bruno, hicieron varias expediciones, comenzando con San Juan Bautista Londo, despues San Francisco Javier, San José de Comondú, la Purísima y finalmente al oeste hasta el Mar Pacífico.

Kino y Gogni se encantaron con la gran amabilidad de los nativos y llegaron a bautizar a unos 500 neofitos. Debido a la esterilidad del lugar, tuvieron que partir, el día 8 de mayo de 1865, regresando al puerto de Yaqui, Sonora. La expedición costó a la corona española aproximadamente $225,000.00. Después de esto, el gobierno español ya no quizo seguir colonizando a California, pero debido al gran celo del P. Kino, fueron obligados a regresar a evangelizar a los pobres y abandonados nativos. Los padres Salvatierra y Kino, recibieron aprobación del consejo de la Ciudad de México. Los dos padres, gigantes espirituales, tenían que encontrarse en Sinaloa para planear su viaje; el P. Salvatierra, viajó en mula 1,500 millas desde la ciudad de México hasta Sinaloa, visitando sus misiones anteriores en el camino. El P. Kino, fue detenido por motivo de una gran rebelión de los indios. El gobernador le pidió que se quedara a mantener la paz y dominar dicho conflicto.

Para llevar a cabo el plan del P. Salvatierra y el P. Kino, Salvatierra tuvo como compañero al valiente misionero, P. Francisco M. Píccolo. Este padre se encargó de conseguir provisiones para el primer viaje, que tenía como punto de partida el puerto de Yaqui, embarcando el día 10 de octubre de 1697. Después de un largo trayecto finalmente llegaron, el día 19 de octubre de 1697, a un gran arroyo llamado San Dioniso (Loreto).

Photo on previous page and those at left are at the site of the first mission founded by the Jesuits in Baja California. San Bruno was founded by Padre Kino in 1683.

Las fotografías en la página anterior y a la izquierda, son tomádas en el sitio en que fue fundada la primera misión por los Jesuitas en Baja California. San Bruno, fue fundada por el Padre Kino en 1683.

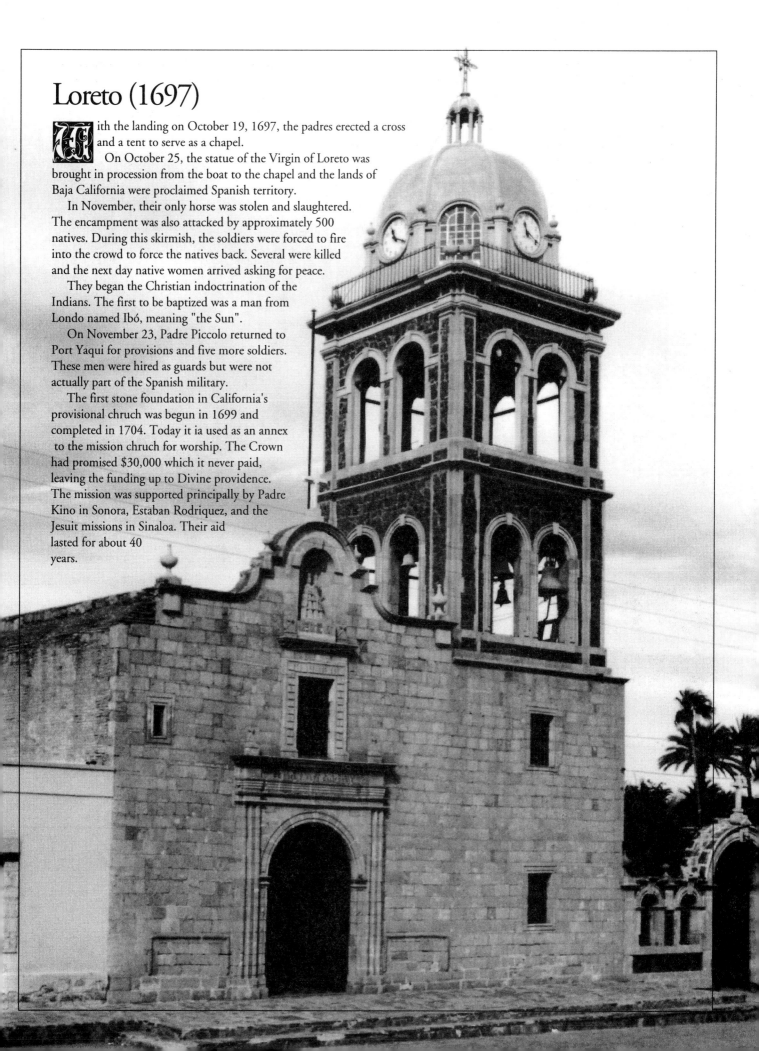

Loreto (1697)

With the landing on October 19, 1697, the padres erected a cross and a tent to serve as a chapel.

On October 25, the statue of the Virgin of Loreto was brought in procession from the boat to the chapel and the lands of Baja California were proclaimed Spanish territory.

In November, their only horse was stolen and slaughtered. The encampment was also attacked by approximately 500 natives. During this skirmish, the soldiers were forced to fire into the crowd to force the natives back. Several were killed and the next day native women arrived asking for peace.

They began the Christian indoctrination of the Indians. The first to be baptized was a man from Londo named Ibó, meaning "the Sun".

On November 23, Padre Piccolo returned to Port Yaqui for provisions and five more soldiers. These men were hired as guards but were not actually part of the Spanish military.

The first stone foundation in California's provisional chruch was begun in 1699 and completed in 1704. Today it ia used as an annex to the mission chruch for worship. The Crown had promised $30,000 which it never paid, leaving the funding up to Divine providence. The mission was supported principally by Padre Kino in Sonora, Estaban Rodriquez, and the Jesuit missions in Sinaloa. Their aid lasted for about 40 years.

n los primeros días de su llegada, los padres elevaron una carpa que servía como capilla, al frente de la cual colocaron una cruz de madera, bellamente adornada con flores. El día 25 de octubre de 1697, llevaron en procesión solemne del barco a la capilla, la imagen de la Virgen de Nuestra Señora de Loreto. En este rito de fe, proclamaron a Baja California como territorio español.

En esta misión había un solo caballo que servía para el uso de los misioneros, pero unos rebeldes nativos lo robaron y mataron a aproximadamente 500 personas en su ataque a los padres; afortunadamente fueron salvados por el ruido de los rifles de los soldados y las protestas de las mujeres, recuperando así la paz.

El primer indio bautizado en Loreto de la región de San Juan Bautista Londó fue Ibo, nombre que significa "el sol". El día 23 de noviembre, el P. Píccolo regresó del interior con provisiones y 5 soldados más. Comenzó la construcción de la Iglesia de piedra que hoy se encuentra a un lado de la misión actual, en 1699 y fue terminada, al igual que la casa de la misión, en el año de 1704. La corona española prometió $30,000.00 pesos anuales para esta obra, pero nunca les otorgó ni siquiera un cinco, y así, sin esta ayuda, todo quedó en las manos de la Divina Providencia. Los principales benefactores fueron el Padre Kino, Esteban Rodriguez y la comunidad de Jesuitas de Sinaloa, quienes por 40 años sostuvieron las misiones.

Opposite Page: exterior views of the mission. Note the fine woodwork in the window treatment, doors and eaves. Also note the stone roof (top right photo) that remains intact today.

This page: interior of the mission; view from the bell tower; original crucifix; stone stairway.

Página Opuesta: vistas exteriores de la misión. Observe el fino trabajo de maderaje en la ventana, las puertas y los aleros. observe también el techo de piedra (fotografía de la parte superior derecha) que actualmente se encuentra intacto.

Esta página: interior de la misión; vista desde el campanario; Crucifijo original; escalera de piedra.

Clockwise from top left: renovated ceiling; stone sculpture of Virgin and date of founding; renovated door; this bell was sent about 1720, fell into the sea and was just recently found by a fisherman; baptismal fount.

Madera de una puerta finamente labrada: vigas de madera en al techo de la iglesia; la Virgen de Loreto escultada en piedra, con la fecha de fundación; esta campana fue triada aproximadamente en 1720, y al llegar a Loreto, esta cayo del barco al mar, permaneciendo allmás de dos siglos para ser encontrada recientemente por un pescador del lugar; fuente bautismal.

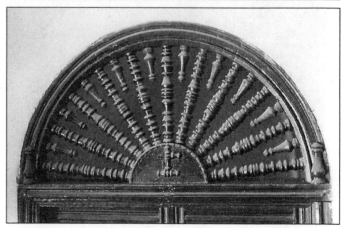

San Juan Bautista Londó (1699)

First founded by Padre Kino in 1683, who started constructing a stone church but never completed it. Padre Salvatierra took up the cause but was thwarted by a local Indian rebellion. Some years later, continuing his mission, he was able to indoctrinate almost the whole region. However, the church was never completed, as the photo indicates.

La misión de San Juan Bautista Londó, fue fundada por el Padre Kino en el año de 1683, quien logró doctrinar a los nativos Cochimíes, quedando allí algunas estructuras de la capilla. En 1699, el Padre Salvatierra intentó de nuevo reconstruir la misión. Al principio, se encontró con una gran rebelión de los nativos, quienes intentaron quitarle la vida, pero fracasaron. Al final, en pocos años, logró su objetivo; endoctrinó a casi toda la región.

Ruins of the incomplete mission of San Juan Bautista Londó.

Más de una vez intentó el Padre Salvatierra fundar una Misión en Londó nueve leguas al norte de Loreto, queriendo dedicarla a San Juan Bautista, pero no logró lo que anhelaba. San Juan Londó permaneció un pueblo de visita, atendido por los misióneros de Loreto, a la cabeza de los otros pueblos.

Population

The population of Baja and the individual missions varied greatly becuase of Jesuit diligence, climate and disease. Below is a listing, from the records, showing this variance.

La población de Baja y las misiones individuales variaron mucho a causa de la diligencia Jesuita, el clima y las enfermedades. A seguir, encontrará una lista que muestra su variación, de acuerdo al registro.

Mission	Year	Population
Loreto	1745	4,000
	1762	190
	1800	400
San Francisco Javier	1745	485
	1782	169
	1800	111
Santa Rosalía de Mulegé	1745	300
	1762	281
	1768	300
	1771	180
	1782	75
	1800	90
San José de Comondú	1745	360
	1771	216
	1782	75
	1800	28
La Purísima	1730	2,000
	1745	130
	1762	295
	1768	130
	1771	168
	1800	54
Nuestra Señora de Guadalupe	1754	530
	1762	521
	1768	520
	1771	140
	1782	105
	1795	74
Nuestra Señora de los Dolores	1745	350
	1762	537
	1768	458
San Ignacio	1761	750
	1782	241
	1800	130
San José del Cabo	1750	100
	1762	63
	1769	50
	1800	200

San Francisco Javier (1699)

On the 10th of March, 1699, Padre Piccolo, with a contingent of soldiers and natives from Loreto, journeyed to the High Sierra to found this mission. The local natives surprisingly received them with open arms. A chapel and living quarters were constructed sometime during that same year.

After two years, the great apostle, Padre Juan de Ugarte, brother of Padre Pedro Ugarte, arrived and started the first big farm. Supervising the construction of dams to facilitate irrigation for crops, cattle and horses, Padre de Ugarte transformed the mission into the bread basket of the region.

Originally from Honduras, Padre de Ugarte remained at San Javier until his death in 1730. He is buried on the grounds.

The church was begun in 1744 by Padre Miguel Barco, finished in 1759, and is today considered a world marvel.

l día 10 de marzo de 1699, el Padre Fco. M. Píccolo, acompañado por soldados y nativos de Loreto, subió la cuesta. Los nativos allí los recibieron con los brazos abiertos. Permanecieron allí 4 días para luego regresar a construir la capilla y cuartos. La capilla provisional fue terminada ese mismo año y fue bendecida por el Padre Salvatierra.

El gran apóstol, Padre Juan de Ugarte, hermano de el Padre Pedro Ugarte, llegó a Loreto el día 10 de abril de 1701 y de allí fue enviado a la misión de San Fco. Javier, debido a sus múltiples talentos en agricultura. Comenzó el cultivo de trigo, maiz, frijol, caña de azúcar, uvas y árboles frutales, por medio de la construcción de canales de riego y dos estanques hechos de piedra. También, logró criar animales domésticos. Cuando el Padre Juan de Ugarte murió, fue sepultado en San Javier en el año de 1730. Fue reemplazado por Miguel Barco, quien diseñó y comenzó la construcción de la iglesia en 1744, terminandola en 1759. Esta iglesia es hoy una maravilla mundial.

Clockwise from top left: side view of mission; view of stone arch; living quarters; suspended section; right wing, now a school; rear of mission

Mirando en círculo desde la parte superior izquierda hacia la derecha: vista de un lado de la misión; vista lateral izquierda del arco; habitaciones; sección de construcción suspendida; a la derecha hacia el fondo, actualmente una escuela primaria; parte trasera.

Clockwise from top left: grave yard; view of the belfry; side window; small window; another view of the belfry; exterior wall of spiral staircase.

Mirar en círculo desde la parte superior izquierda hacia la derecha: Panteón antiguo hubicado; vista del campanario; ventana lateral; Pequeña ventanilla para iluminar la escalera de acceso al coro; campanario visto de otro lado; pared detrás de la cual se encuentra la escalera en espiral para subir al coro y campanario.

Examples of the mission facade show the fine details that are carved out of stone.

Opposite Page: varied views of the roof and the rooftop ornamental towers.

Fachada de la misión finamente detallada en piedra.

Página opuesta: vistas varias de el techo y de los adornos ornamentales.

Clockwise from top left: original dam; drainage; destroyed water fountain; stone carved ornament; monument at entrance of town; carved stone cross.

Opposite page from top left: ceiling paintings; column adornment; exterior office door; spiral stairs to belfry and choir; side door holy water fount; termination date of mission; adornment; holy water fount.

Mirar en círculo desde la parte superior izquierda hacia la derecha: la presa antigua; tipo de drenaje para permitir la salida de agua sal; la fuente destruida; pequeños adornos de piedra sobre el muro; monumento parta anunciar la llegada a la misión; cruz moldeada en piedra.

Página izquierda, mirar en círculo desde la parte superior izquierda hacia la derecha: la belleza artística se muestra en el cielito; arcos que bellamente adornan el interior; puerta exterior de la oficina; escalera en espiral para subir al coro y campanario; fuente de agua bendita de la entrada lateral; emblema de la fecha en que fue terminada la misión; adorno del interior; fuente de agua bendita de la entrada principal.

16

Clockwise from top left: choir and belfry door; communion rail; interior window; interior door; view from choir loft; original sacristy wardrobe.

Mirar en círculo desde la parte superior izquierda hacia la derecha: puerta de entrada al coro y campanario; barandal de madera frente al altar; típica ventana interior de la misión; puerta interior de la oficina; vista panorámica desde el coro; ropero de la sacristía.

Ligüi (1705)

Padres Juan Salvatierra and Pedro Ugarte, brother of Juan, sailed from Loreto to Ligüi in order to start a mission there. Padre Pedro Ugarte started construction on the mission which took a total of five years. Upon completion, he was succeeded by Padre Francisco Paralta, who was in turn succeeded by Padre Clemente Guillen. Padre Guillen is known for having built the first road to La Paz.

Half of the mission still remained before the existing highway was completed. Dirt and sand needed for construction of the road was mined near the site of the mission. Torrential rains and erosion caused by the digging destoyed the ruins completely.

Los Padres Juan M. Salvatierra y Pedro Ugarte, hermano de Juan Ugarte, navegaron al sur de Loreto para construir la misión de Lugüi. Al hallar un lugar apropiado para ello, se quedó el P. Pedro Ugarte, quien fue el encargado de construirla. Despues de 5 laboriosos años entregó la misión ya terminada al Padre Francisco Peralta, seguido por el P. Clemente Guillen, originador del primer camino a La Paz.

La mitad de la misión todavía existía antes de que la construcción de la carretera principal fuera terminada. El barro y la arena necesitados para construir la carretera fueron extraidos de una mina cercana al sitio de la misión. Lluvias torrenciales y erosión causada por la excavación destruyo las ruinas completamente.

Country of Origin

The Jesuit missionaries came from many different backgrounds and countries.
Below is a partial list of the missionaries and their country of origin.

Los misioneros Jesuitas vinieron de una gran variedad de antepasados y paises.
A seguir encontrará una lista parcial de los misionarios y su país de origen.

Padre	Heritage
Francisco Eusebio Kino	Italian
Juan Maria Salvatierra	Italian
Francisco Maria Piccolo	Italian
Sigismundo Taraval	Italian
Nicolas Tamaral	Italian
Jaime Bravo	Spanish
Victoriano Arnes	Spanish
Juan Manuel Basaldua	Spanish
Francisco Inama	Spanish
Everardo Helen	German
Juan Jacobo Baegert	German
Jorge Retz	German
Lamberto Hostell	German
Juan Ugarte	Honduran
Pedro Ugarte	Honduran
Lorenzo Carranco	Mexican
Sebastion Sistiaga	Mexican
Javier Bischoff	Bohemian
Wenceslao Link	Bohemian
Fernando Consag	Austrian
Clemente Guillen	French

Santa Rosalia de Mulegé (1705)

 In May 1704, Padre Juan Ugarte tried to build a road north but was unsuccessful. In August of the same year, Padres Piccolo and Basaldua sailed from Loreto to Sinala. On their return trip they made a visit to Mulege and later to Loreto.

The following year, Padre Manual Basaldua, enduring great hardship, was able to construct the road from Loreto to Mulege. He remained there for one year. He was followed by Padre Piccolo who stayed in Mulege until 1718, succeeded by Sebastian Sistiago who stayed until 1728, and Bautista Luyando who remained until 1734.

La misión de Mulegé, fue descubierta accidentalmente durante una gran tormenta que atacó al barco que venía de Sonora. Debido a esto, tal barco ancló en el sitio en que hoy se encuentra la misión. En mayo de 1704, el Padre Ugarte, intentó hacer un camino hacia el norte, pero no tuvo mucho éxito. En agosto del mismo año, los Padres Píccolo y M. Basaldua, navegaron de Loreto a Sonora, donde consiguieron provisiones y abastecimientos. A su regreso, pasaron por la Bahía Concepción y visitaron a Mulege. De allí regresaron a Loreto. Al año siguiente (1705), el P. Manuel Basaldua salió para Mulege, abriendose camino entre piedras y montes con mucho trabajo y sacrificio. Este padre permaneció solamente un año, siendo seguido por el Padre Píccolo hasta 1718, Sebastian Sistiaga hasta 1727 y Juan Bautista Luyando hasta 1734. La misión fue abandonada en 1828 por falta de población.

Pictured at left are views of the mission that were built at a later date.

Parte de la misión construida posteriormente.

Clockwise from top left: interior view of church; side door; stone stairs to choir; small altar built into the wall; holy water fount.

Mirar en círculo desde la parte superior izquierda hacia la derecha: aspecto interior; puerta lateral; escalera de piedra para subir al coro; pequeño niche para colocar una imagen; fuente de agua bendita.

San José de Comondú (1708)

First explored by Padre Kino in 1684. It was not until 1708 that Padre Julian Mayorga, accompanied by Padres Salvatierra and Juan Ugarte, began to indoctrinate the local Indians.

This valley, blessed with an abundance of spring water, was considered excellent for cultivation. Trees and grapevines were planted to take advantage of the conditions. The vines produced a very high grade of wine, still available today.

Padre Mayorga oversaw the construction of dams, an aqueduct, and a college. He remained there until his death in 1736.

He was followed by a German Priest Francisco Wagner who oversaw the mission until his death in 1744.

Finally, the "three nave" church was constructed by the great architect and builder, Padre Franz Inama. It was a beautiful church, the only one of its kind, but was dynamited in the 1930's. Today you can find its carved stone throughout the area; it was used to build a school and many local houses. The only remains are the foundations of the college and sacristy, which is still intact and used for worship.

Inset photos were taken prior to the Church's destruction in the 1930s.

Fotografías pequeñas fueron tomadas antes de la destrucción de la iglesia en 1930s.

La misión de San José de Comondú, fue explorada por primera vez por el almirante Isidro de Atondo y Antillón y el Padre Eusebio Kino, en diciembre de 1684. Fue visitada de nuevo en el verano de 1708 por los padres Juan María Salvatierra, Juan Ugarte y Julian Mayorga. Este último quedó encargado de la misión hasta su muerte, el 10 de noviembre de 1736. El Padre Salvatierra, fue nombrado provincial de la Nueva España por un término de 2 años, en 1705, pidiendo después regresar a California como superior. Fue la persona mas capacitada en conseguir sacerdotes para Comondú y las demás misiones a seguir.

En 1708, el Padre Julian Mayorga, desde la ciudad de México, recogió abastecimientos para la nueva misión de Comondú. Después de llegar a Loreto, partió hacia el sitio destinado. El agua allí, era más dulce que la de todas las misiones, todo tipo de plantas podían crecerse. El acueducto de esa área y el colegio de la misión, fueron construidos por Mayorga. Cuando el Padre Julian murió, fue sustituido por el padre alemán Francisco Javier Wagner, quien estuvó allí hasta su muerte, el día 12 de octubre de 1744. El Padre Franz Inama, inició y terminó en 1750, la iglesia más grande de todas, la cual consistía de tres naves. En la época de 1930, esta iglesia fue dinamitada (destruida). El material resultante fue utilizado para la construcción de edificios, hoy se puede observar la piedra laborada. La misión quedó abandonada en 1827 por falta de población. En la actualidad, la iglesia no existe, únicamente se encuentran la sacristía y la casa de los padres, que se usa como capilla.

Opposite page, clockwise from top left: side view of chapel; main chapel door; anterior door of chapel; back wall of sacristy; cracked chapel ceiling; column of original church; window and window shade.

This page from top left: ruins of the college; ruins of wall behind altar; ruins of main college door; stairs built with stone taken from church; house built with stone scavenged from destroyed church; ruins of college wall.

Página izquierda, mirar en círculo desde la parte superior izquierda hacia la derecha: vista lateral; puerta principal de la capilla actual; puerta de madera en el interior; pared tracera de la capilla; parte de cielito en mal estado; la iglesia de tres naves fue construida frente a esta torre; ventana con rejas de madera.

Mirar en círculo desde la parte superior izquierda hacia la derecha: el muro ya caido del colegio; muro de la iglesia detras del altar; la puerta del colegio también derrumbada; escalera construida con partes de piedra usada en el borde del techo de la iglesia de tres naves; una casa actual fabricada con piedra de la misión; muro antigo.

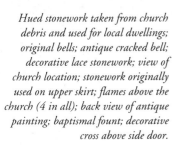

Hued stonework taken from church debris and used for local dwellings; original bells; antique cracked bell; decorative lace stonework; view of church location; stonework originally used on upper skirt; flames above the church (4 in all); back view of antique painting; baptismal fount; decorative cross above side door.

Piedras labradas usadas en la misión; campanas originales de la misión; piedra labradas usadas en la misión; sitio donde estaba la iglesia grande; adorno de piedra en la parte superior de la misión; otro adorno de piedra que simula una antorcha encendida; vista trasera de una de la imagenes; fuente bautismal; la cruz decorada encima de la puerta lateral.

La Purísima (1720)

 n 1712, Padre Piccolo made his first visit to the area due to the insistent invitation of the local people. He continued to make frequent visits to the area but it was not until 1717 that Padre Javier Nicolas Tamaral was placed there permanently. This long delay was due to the scarcity of priests.

Padre Tamaral constructed a road through Comondu to Mulege. He also planted orchards and grain which produced harvests that provided food for the locals and converts who traveled there from long distances.

Today the mission is in complete ruin. The photo was taken before its final destruction.

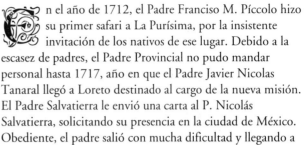 n el año de 1712, el Padre Franciso M. Píccolo hizo su primer safari a La Purísima, por la insistente invitación de los nativos de ese lugar. Debido a la escasez de padres, el Padre Provincial no pudo mandar personal hasta 1717, año en que el Padre Javier Nicolas Tanaral llegó a Loreto destinado al cargo de la nueva misión. El Padre Salvatierra le envió una carta al P. Nicolás Salvatierra, solicitando su presencia en la ciudad de México. Obediente, el padre salió con mucha dificultad y llegando a Guadalajara murió, el día 17 de junio de 1717. Fue sepultado en la iglesia de Nuestra Señora de Loreto, la cual él construyó en años anteriores.

Antes de su muerte, el Padre Nicolás, abrió camino desde Purísima hasta Comondú y Mulegé; él fue capaz de cultivar una cosecha abundante para sus neofitos, que vinieron de lejos. Era la misión más numerosa en habitantes y la más atendida de todas.

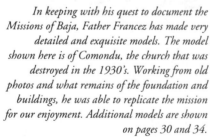

In keeping with his quest to document the Missions of Baja, Father Francez has made very detailed and exquisite models. The model shown here is of Comondu, the church that was destroyed in the 1930's. Working from old photos and what remains of the foundation and buildings, he was able to replicate the mission for our enjoyment. Additional models are shown on pages 30 and 34.

Manteniendo su meta de documentar las Misiones de Baja California, el Padre Francez ha hecho modelos muy detallados y exquisitos. El modelo que se muestra aqui es Comondú, la iglesia que fue destruida en 1930. Trabajando con fotografías y lo que queda de la fundación y los edificios, el pudo hacer una réplica de la misión para nuestro placer. Modelos adicionales se muestran en las páginas 30 y 34

La Paz (1720)

ounded on the third of November by Padres Juan Ugarte and Jaime Bravo, this mission was called "Our Lady of Pilar." They had landed at the site after sailing north on the "El Triunfo de la Cruz."

Padre Bravo remained at the mission and built the church and dwellings between 1720 and 1728. The mission was without a resident priest until Padre William Gordon arrived in 1730 and resided there until 1734. Another two years elapsed without a priest. In 1736, Padre Sigismundo resided there until the mission's closure in 1749.

Today, nothing remains of the church. The statue of "Our Lady of Pilar" (below) and the records shown on the next page are some of the artifacts that still exist.

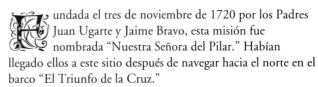undada el tres de noviembre de 1720 por los Padres Juan Ugarte y Jaime Bravo, esta misión fue nombrada "Nuestra Señora del Pilar." Habían llegado ellos a este sitio después de navegar hacia el norte en el barco "El Triunfo de la Cruz."

El Padre Bravo se quedó en la misión para construir allí la iglesia y viviendas, entre 1720 y 1728. La misión no tuvo un padre residente hasta que llegó el Padre William Gordon en 1730, quien permaneció allí hasta 1734. Otros dos años pasaron sin un padre que la cuidara. En 1736, el Padre Sigismundo llegó a vivir en ella, hasta que esta cerró en 1749.

Actualmente, no queda nada de la iglesia. La estatua de "Nuestra Señora del Pilar" (abajo) y los registros que se muestran en la siguiente página, son algunos de los artifactos que todavía existen.

These books are the oldest Sacramental records in Baja and are located in La Paz.

Estos libros son los registros Sacramentales más viejos en Baja y se encuentran en La Paz.

Nuestra Señora de Guadalupe. (1720)

In September of 1719, Padres Juan Ugarte and Sebastion Sistiago explored the giant rain forest to decide on a mission site. The mission was founded on the 12th of December, 1720, by Padre Everard Helen and funded by donations of the Marquis de Villafuente.

When he left the mission, Padre Helen had completely evangelized the natives in the area. Due to an epidemic, the local natives were transferred to the mission at La Purisimia.

Most of the wood used to make the mission's doors and windows came from the rain forest around the mission of "Our Lady of Guadalupe." The Majestic boat "El Triunfo de la Cruz" was also constructed of wood from this same area.

Padre Helen was followed by missionaries, Padres Fernando Consag, Joseph Gasteiger and Benno Ducrue.

Today, only one family remains at the site of the ruins. The original painting is preserved in a small chapel on location.

In septiembre de 1719, los Padres Juan Ugarte y Sebastian Sistiago, exploraron por primera vez la región de Guadalupe. El día 12 de diciembre de 1720, el Padre Everado Helen fundó la misión, con donativos del Marquez de Villafuente, dejando en la misión a toda la población completamente evangelizada. Murió mucha gente a causa de la epidemia que atacó a la población. Para evitar que siguieran muriendo, tuvieron que trasladar a los 74 habitantes que restaban a la mision de la Purísima.

La misión de Guadalupe se encuentra en una región en la cual abundaban grandes árboles. De estos obtuvo el Padre Juan Ugarte la madera para construir el primer barco llamado "El Triángulo de la Cruz", el cual fue construido en Mulegé. Le siguieron los padres P. Fernando Consag, Joseph Gasteiger y Benno Ducrue.

En la actualidad existen solo las ruinas de la misión, la imagen antigua original de la Virgen de Guadalupe en una capilla y una familia que allí habita.

Clockwise from top left: view of the ruins; two photos show the abundant trees of the Baja rain forest; three photos are diffeent views of the foundation.

Mirar en círculo desde la parte superior izquierda hacia la derecha: panaroma de la ruina; los cimientos de la misión; bosques donde sacaban la madera.

Nuestra Señora de los Dolores (1721)

adre Clemente Guillen founded the Mission (Our Lady of Sorrows) as a stopover between Loreto and La Paz. The site was also chosen by Padre Guillen so he could convert the natives hostile to the Jesuits.

A complex was built and used as a stepping stone by Padres Lambert Hostell and Berhart to found the mission of "La Passion." In 1737, they founded the visiting missions: La Concepcion, La Santisimo Trinidad, La Redencion and La Resurrecion. The natives moved to these small missions, which made their lives a little easier.

The Jesuits also used the mission as a retreat house because the site was very accessible by sea.

In 1768, hard hit by disease, the mission was ordered abandoned and the few Christians who remained were sent to Todos Santos.

Today, the ruins can be seen only after a journey by mule.

l Padre Clements Guillen descubrió la misión en noviembre de 1720. El sitio servía como lugar de descanso entre Loreto y La Paz. En agosto de 1721, fundó la misión a orillas del mar.

En 1737, los padres Lambert Hostell y Bernhart reestablecieron la misión más hacia el oeste, en el arroyo de la Pasión. Fueron establecidas las visitas a la Concepción, a la Santisima Trinidad, la Redención y la Resurrección.

En 1768, los superiores ordenaron su abandono permanente. Los pocos neofitos que quedaron fueron trasladados a la misión de Todos Santos.

Hoy en día se pueden visitar las ruinas solo viajando hasta allí en mula.

The model shown on this page is the Mission San Javier. The top right photo shows the inner construction of the model. The remaining photos show the time and effort taken to replicate the mission in complete detail.

El modelo que se muestra en esta página es de la Misión de San Javier. La fotografía en la parte superior derecha muestra la construcción interna de el modelo. Las fotos restantes, muestran el tiempo y esfuerzo que tomó hacer una replica de la misión con detalles completos.

Santiago de los Coras (1721)

n August 24, 1721, Padre Maria Napoli, accompanied by Padre Bravo, founded this mission after sailing north from La Paz. No one was present on shore when they landed. Nevertheless, they made camp and unloaded their provisions which included livestock.

On the fourth day, a discouraged Padre Napoli was out walking when he saw a large number of natives approaching. Dressed up in their best colors and led by a giant, Padre Napoli, terrified, fell to his knees preparing for the end. It turned out to be only a scare. The natives returned with him to the encampment and began an enduring friendship.

In 1723, the mission was transferred from Los Coras to its present site at Santiago. In 1726 Padre Lorenzo Carranco succeeded Padre Napoli as the resident priest.

Padre Carranco was killed during a native rebellion in 1734. He was a true martyr of the faith. Little is remembered of him.

Today, nothing remains except the statue of Santiago and drawings of Padre Tirch depicting the chapel and town.

n agosto 24 de 1721, el Padre Ignacio María Napali salió acompañado por el capitán Esteban Rodríguez a fundar esta misión después de navegar hacia el norte de La Paz. Nadie se encontraba allí cuando llegaron. Sin embargo, ellos acamparon y desembarcaron sus provisiónes que incluían ganado.

Al cuarto día, el Padre Napoli desanimado caminaba, cuando se presentó un numeroso grupo de nativos en sus mejores vestimentas y encabezados por un gigante. Aterrorizado, el padre cayó en sus rodillas preparandose para su fin. Los nativos, en cambio, regresaron con él al campamento y asi comenzó una gran amistad.

En 1723, la misión fue transferida de Los Coras a su actual ubicación en Santiago. En 1726, el Padre Lorenzo Carranco fue substituido por el Padre Napoli como sacerdote residente. El Padre Carranco fue asesinado durante una rebelión de los nativos en 1734. Este padre fue un verdadero martir de la fe, poco se recuerda de él.

Hoy no queda nada a excepción de la estatua de Santiago y dibujos de el Padre Tirch pintando la capilla y el pueblo.

Drawing of the altar.

El altar.

Drawing of the incomplete interior of the church. It was never finished.

Aspecto interior de la mision sin terminar.

Another painting by Padre Tirsch. This one documenting the Mission Santigo de los Coras.

Otra pintura hecha por el Padre Tirch. En esta, haciendo documentación de Santiago de los Coras.

San Ignacio (1728)

 t the invitation of the local Indians, Padre Piccolo first visited the mission site in 1706. He made many visits to the area from Mulege; in 1716 he made a Novena to the Virgin in a provisional chapel.

Due to the lack of personnel, it was not until 1728 that Padre Juan Bautitsta Luyando moved to San Ignacio to found the new mission. Already a Christian community, Padre Luyando was well received and built over 8 chapels in the surrounding area. He was, after four years, subsequently followed by Padres Sebastion Sestiaga, from Oaxaca, and Fernando Consag, a native of Austria.

Blessed with fertile soil and an abundance of water, the mission, with the aid of Padre Helen of the Mission of Guadalupe, were able to plant and cultivate orchards, grape vines and many different vegetables. Dams and a boarding school were soon erected.

A typical day at the mission would be to attend morning Mass, have breakfast and schooling, then work in the fields. They would then have lunch, work on construction or in the fields, and in the evening attend the recitation of the Rosary.

Padre Consag started the construction of this beautiful church in 1733, only six years after its founding, but never completed the building. This was accomplished by a Dominican priest, Juan Crisostomo Gomez.

Today, it remains intact and still serves the community.

 a misión de San Ignacio fue proyectada entre los Cochimies de la región de Kadakaaman, desde 1706. El Padre Píccolo visitó el sitio varias veces, llendo desde Mulegé en un día de viaje. En 1716, el Padre celebró una novena a la Virgen en la capilla provisional. La única novena, puesto que por falta de personal no se pudo fundar la misión hasta 1728. El Padre Juan Bautista Luyando tuvo que fundar esa misión, que llegó a ser la más floreciente de California. Dos grandes misioneros estuvieron sucesivamente a cargo de la misión: el Padre Sebastian de Sestiago de Oaxaca y el Padre Fernando Consag, nativo de Austria.

El Padre Juan Bautista L. construyó 8 capillas en las rancherias de los alrededores. Con la ayuda del Padre Helen, de la misión de Guadalupe, cultivó numerosos tipos de plantas y árboles. En poco tiempo, el cultivo sostuvó a toda la región, gracias a la abundancia de agua y a la fertilidad de las tierras. El padre construyó un albergue para una escuela secundaria y artesanias para las rancherías lejanas. En las mañanas todos asistían a la Santa Misa, luego al desayuno, y después a las clases y todo tipo de trabajos manuales. En las tardes, todos rezaban el Rosario en la capilla. El Padre Consag, en 1733, inició la hermosa iglesia que existe hoy, la cual fue terminada en 1786, por el Padre Dominicano Juan Crisóstomo Comez.

Hoy en día la misión de San Ignacio sirve de bien espiritual al pueblo.

Clockwise from top left: view of the mission; side view and bell tower; stairs to the choir and belfry; exterior office door; water drainage; roof top view; reconstruction of roof facade.

Mirando en círculo desde la parte superior izquierda hacia la derecha: panorama del sitio de la misión; parte lateral y torre del campanario; escalera de acceso al campanario y coro; puerta exterior de entrada a la oficina; desague en la parte superior de la misión; aspecto superior de la misión; borde del techo reconstruido.

Clockwise from top left: entrance view; water drainage; exterior view of stairwell that leads to wall pulpit; belfry and dome; small window in dome; original bells; stone cross; front roof ornaments.

Mirando en círculo desde la parte superior izquierda hacia la derecha: vista trasera de la iglesia; (drenaje o) desague; torre que incluye en su interior la escalera para subir al púlpito; una ventanilla en la cúpula; campana original de la misión; cruz de piedra como adorno; adornos al frente en la parte superior.

Clockwise from top left: stone sculpture of St. Peter; stone sculpture of a head; stone sculpture of St. Paul; stone carving from front of church; stone sculpture of unknown person; front round window.

Mirando en círculo desde la parte superior izquierda hacia la derecha: San Pedro escultado en piedra; la cabeza de un santo hecha en piedra; San Pablo escultado en piedra; adornos de piedra en la fachada; ventana redonda.

Clockwise from top left: Sacristy door; principal door; inside office door; Sacristy door leading to church; security lock; exterior office door; inside Sacristy door.

Mirando en círculo desde la parte superior izquierda hacia la derecha: puerta lateral; puerta de la sacristía; puerta principal de la misión; puerta dentro de la oficina; puerta de la sacristía a la iglesia; pasador de seguridad; puerta de la oficina; puertas dentro de la sacristía.

41

Pictures on the left show different views of the interior architecture; top two photos on the right are views of the area behind the altar with a width of 91cm; pascual candle holder.

Las fotografías a la izquirda muestran: vistas arquitectonicas del interior; parte de atras del altar con 91cm. de distancia hacia la pared, base antigua para el candelero.

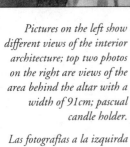

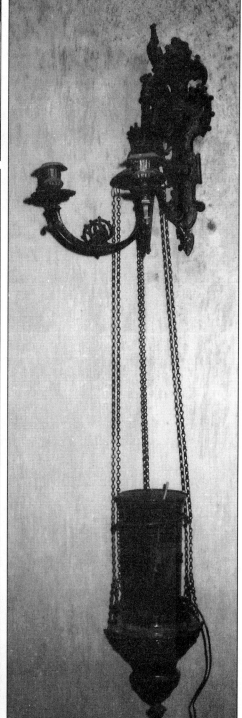

Clockwise from top left: holy water fount; marble baptismal fount; sanctuary lamp; two antique chairs; confessionary; pulpit above altar with the Virgin of the Ascension (middle).

Mirando en círculo desde la parte superior izquierda hacia la derecha: fuente de agua bendita; fuente bautismal hecha de marmol; luz del santisimo; dos sillas antiguas; confesionario antiguo; el púlpito con la Virgen de la Asunción.

The photo on top is a model showing the first stone foundation laid in all of the Californias. The original chapel of the Mission of Loreto is the wall on the right. The wall on the left is the church which was built soon after the chapel. The small building in the middle is another small chapel. The bottom photo shows almost the same view as it appears today. The rectory, from which you can see the roof, obscures about half the wall. The state plans to demolish the rectory eventually and restore the mission to its original form.

La fotografía superior es un modelo que muestra la primera fundación de piedra en toda California. La capilla original de la Misión de Loreto es la pared de la derecha. La pared de la izquierda es la iglesia, la cual fue construida corto tiempo después de la capilla. El edificio en el centro es otra pequeña capilla. La fotografía inferior muestra casi la misma vista que se puede observar hoy en día. La rectoría, de la cual se puede ver el techo, tapa la mitad de la pared. El estado tiene planeado tumbar la rectoría y restaurar la misión a su forma original.

San José del Cabo (1730)

his southernmost mission was founded by Padre Nicholas Tamaral in April of 1730. Because of the constant uprising of the Pericue tribe and their dislike of the missionaries, Padre Tamaral was killed in 1734 after saying Mass. This was just three days after Padre Caranco of Santiago was also killed by the same Indians.

The Indian men opposed the principal of one wife per husband. The women, of course, were in favor. This, and the abuse of the Indians by traders over many years, caused much dissidence. These events caused the mission to be slowly abandoned.

The painting below was illustrated by Jesuit missionary Padre Ignacio Tirsch. His paintings are invaluable in describing life at the time of the missions.

a misión de San José del Cabo, fue establecida por el Padre Nicolás Tamaral, en el mes de abril de 1730. En julio del mismo año, el Padre Tamaral fue nombrado padre ministro de la misión. Esta fue atacada en numerosas veces por los Pericúes, quienes en cierta ocasión muy dolorosa, mataron al Padre N. Tamaral. De esta misión hoy no queda nada, solo dibujos de su existencia en aquellos años, según el Padre Ignacio Tirsch.

The photos in this book at many times were taken by Padre Francez and his helpers at the risk of life and limb. The pictures documenting the beautiful stonework of San Ignacio, for example, were very hard to obtain. The photos on this page show the extraordinary lengths to which the author went to give the reader a detailed view of the missions of Baja. They were working at the Mission of San Javier when these photos were taken.

Las fotografías en este libro fueron tomadas muchas veces por el Padre Francez y sus ayudantes al riesgo de su vida. Las fotos que hacen documentación de el bello trabajo de piedra de San Ignacio, por ejemplo, fueron muy difíciles de obtener. Las fotografías en esta página muestran los extremos que el autor tomó para ofrecer a sus lectores vistas detalladas de la misiones de Baja. Aquí se encuentran trabajando en la Misión de San Javier.

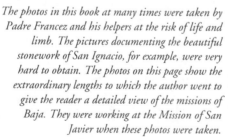

Todos Santos (1733)

odos Santos was first established in 1723 by Padre Bravo from La Paz, but Padre Lorenzo Carranco oversaw the mission for two years, 1724-26.

It was not until 1733 that the mission had its first official resident priest, Padre Sigismundo Tamaral. Padre Tamaral was forced to flee to the island of Espitritu Santos but returned in 1735.

This mission and La Paz were dedicated to the Virgin of Pilar.

The church today remains intact.

a misión fue establecida primero en 1723 por el Padre Bravo, quien viajó de La Paz. En 1724, el Padre Lorenzo Carranco quedó a cargo de la misión hasta 1726. En 1733, el Padre Sigismundo Tamaral fue enviado por el Padre Provincial de La Purísima a tomar posesión de la misión. En octubre de 1734, el Padre Tamaral fue obligado a tomar refugio en la isla Espíritu Santos, regresando en 1735 a reestablecer la misión. La iglesia hoy sigue intacta con la imagen de la Virgen del Pilar. En el año de 1840, la misión quedó permanente cerrada debido a la falta de población.

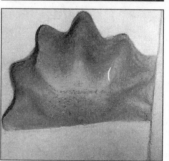

Clockwise from top left: principal door; inside face of side door; outside of face of side door; holy water fount; a stone mural of the past; interior arch.

Mirar en círculo desde la parte superior izquierda hacia la derecha: puerta principal de acceso; puerta lateral; lado opuesto de la puerta; fuente de agua bendita; un muro de la pasada; pasada en arco del interior.

San Luis Gónzaga (1740)

adre Clemente Guillen first established this mission in 1721, although it was founded in 1740 by Padre Lamberto Hostell. Padre Hostell also constructed a number of chapels in the surrounding area.

Padre Hostell built a network of dams to irrigate crops that included figs, grapes and sugar cane.

In 1750, Padre Jakob Baegert was placed in charge of the mission and constructed the present church, which remains in good condition.

Padre Baegert was a faithful writer. He recorded his history and that of the natives, life and times. These writings were published in Europe.

The church contains a carved stone statue of the Virgin of Sorrows that most likely came from the Mission Dolores.

The statue of San Luis Gonzaga was just recently discovered in La Paz after being missing since 1914. It was brought home to the mission in a solemn procession.

Today a total of 8 families live in the area.

El Padre Clemente Guillen, estableció la misión de San Luis Gonzaga en 1721, aunque en 1740 fue fundada por el Padre Lambert Hostell. Este mismo padre construyó también varias capillas en los alrededores.

El Padre Hostell construyó una red de presas para irrigar los cultivos de higos, uvas y caña de azúcar.

En 1750, el padre Jakob Baegert quedó a cargo de la misión, construyendo la iglesia que existe hoy en buenas condiciones.

El Padre Baegert era un leal escritor, haciendo un registro completo de su historia y la vida y tiempo de los nativos. Estas obras fueron publicadas en Europa.

La iglesia contiene una estatua labrada en piedra de la Virgen de los Dolores que muy posiblemente vino de la Misión de los Dolores.

Recientemente fue descubierta la estatua de San Luis Gonzaga en La Paz, que se hallaba perdida desde 1914. Fue llevada a la misión en procesión solemne.

Actualmente, solo viven 8 familias en la área.

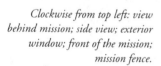

Clockwise from top left: view behind mission; side view; exterior window; front of the mission; mission fence.

Opposite page from top left: view of the altar; stone sculpture and drainage; stone sculpture of the Virgin of Sorrows; stone sculpture and drainage.

Mirar en círculo desde la parte superior izquierda hacia la derecha: panorama de la parte trasera de la misión; aspecto lateral; una ventana muy original; fachada de la misión; cercado de la misión.

Página derecha desde la parte superior izquierda: altar en el interior; un adorno en el drenaje; imagen de la Virgen Maria escultada en piedra; adorno en el drenaje.

View of the dam; spring drinking water reservoir; processional cross.

Vista de la presa; una pequeña pila construida donde el agua brota; la cruz procesional.

Santa Gertrudis (1752)

The great explorer Padre Consag left San Ignacio in 1751 to establish this mission. He called this place "La Piedad." Padre Consag and a blind Christian native, Antres Comanaji Sestiaga, built a temporary chapel and various dwellings.

Andres Comanaji Sestiaga was an unusual helper who was able to mysteriously prepare thousands of new converts in Mulege, San Ignacio and Santa Gertrudis. He was also the co-builder of these missions.

After spending one year in San Ignacio studying the Cochimi language, Padre George Retz moved north and founded the mission on July 15, 1752. He was given a large amount of start-up livestock (horses, mules, goats, lambs, chickens, etc.), through the generosity of the other missions.

The blind Andres prepared 1,400 new converts for baptism. They were so numerous that they were split into groups that would rotate their stay at the mission for one week at a time.

After discovering a spring, Padre Retz constructed a canal carved through rock for a distance of three kilometers. Soil was hauled in and spread over the rocky terrain. By rotating crops, the harvest was sufficient to feed the new converts who came from the surrounding area.

Lacking barrels, wine was stored in jars hewn from blocks of rock, which were covered by boards and sealed with pitahaya sap.

The mission was never completed as can be seen in the photos. The bell tower is original, intact and located about 50 meters from the mission.

Today only one family remains.

The inset is the original bell tower and is the only bell tower to be constructed separately from the mission (60 yards).

El campanario original, único campanario que fue construido separado de la misión (60 yardas).

El Padre Fernando Consag, gran explorador, salió de San Ignacio para establecer una nueva misión llamada Santa Gertrudis, el 22 de mayo del año 1751. Fue la primera misión al norte del paralelo 28 en el estado de Baja California Norte. Dió el nombre de "La Piedad" al sitio. Pronto construyó un edificio temporario. Un cristiano ciego, Andres Comanaji, brazo derecho del padre por muchos años, preparó a miles de cristianos en Mulegé, San ignacio y Santa Gertrudis. El día 15 de julio de 1752, el Padre George Retz fundó la misión.

El padre estuvo un año en San ignacio, aprendiendo el idioma cochimí. Al regresar a Santa Gertrudis, llevó de San Ignacio proviciones, ganado, caballos, mulas, chivos, corderos y gallinas. pronto el ciego Andres, preparó a unos 1,400 nativos para ser bautizados. El Padre Retz, construyó un canal de piedra a lo largo de 3 kilometros hasta la misión.

Para el cultivo, tuvieron que traer tierra de otros sitios. Las cosechas eran abundantes y suficientes para alimentar a los neofitos, que llegaron de los ranchos de los alrededores, quienes usaron recipientes hechos de piedra sólida para hacer el vino. Lo cubrían con tablas, sellándolas con recina de los pitallos. Como los neofitos llegaban a la misión en grupos bastante numerosos, el padre tuvo que recibirlos cada semana por rancherías. El campanario está aún intacto. Las fotografías muestran el interior de la misión, que hoy cuenta con solo una familia.

Clockwise from top left: angled view of the mission; external view of window; side door; patio and back of mission; point where construction of the mission was halted.

Mirar en círculo desde la parte superior izquierda hacia la derecha: vista de la misión en angulo; ventana de vista exterior; puerta del lado opuesto; patio y lado opuesto; parte donde la obra de construcción fue suspendida.

Clockwise from top left: interior of mission; side window; back view; principal door; baptismal fount; halo ornament that used to cover baptismal fount.

Mirar en círculo desde la parte superior izquierda hacia la derecha: aspecto interior de la misión; ventana del lado opuesto; lado opuesto de la misión; puerta principal de acceso; fuente bautismal; ornamento del bautisterio, hecho de madera.

View of the ceiling; 1796 completion date in Roman numerals; holy water fount; ornament in the ceiling.

El techo con un escudo escrito en Latín; escritura en Latín de la fecha 1796 en que fue termidada la misión; un emblema en al cielito.

San Francisco Borja (1762)

After a long arduous trip, Padre Retz discovered the site of San Borja in 1758. He had found a route which took three days or less to get from Santa Gertrudis to San Borja. Padre Consag, charged with building the mission, died on September 10, 1759, before he could start construction.

Padre Retz constructed the church, housing for the priest, quarters for the soldiers, a warehouse and a small hospital. He also started raising crops and cattle.

Care of the mission was given to Padre Wenseslao Linck, a native of Bohemia. He found over 300 new converts later prepared by Padre Retz. This number increased so quickly, he needed assistance from the other missions.

A high mesa was found and used to graze cattle. Their number eventually increased to 800 and were used by the Mission Indians for food.

The town grew to about 30 families. Padre Victoriano Arnes was sent to assist, allowing Padre Linck more time to explore to the north. His explorations led to the northern missions.

Padre Juan Jose Diez was also sent, at a later date, to assist in forming a more complete community. The mission was now one of the most populous with over 1000 Christian natives.

On May 7, 1768, Padre Francisco Lasuen, a Franciscan, was nominated minister in charge. He was given 1000 head of cattle and many utilities. The Franciscans began their mission here in San Borja.

Today only one family remains.

Después de tres largos días de viaje y cansancio, el Padre George Retz, en 1758 descubrió el sítio de San F. Borja, ahí encontró una gran abundancia de agua y tierra suficiente para el cultivo. El padre abrió un camino que reducia el viaje en menos de trés dias, de Santa Gertrudis a San Borja. Padre Consag, quien se creía había construido la misión, murió en septiembre 10 de 1759, antes de comenzar tal construcción.

El Padre Retz, construyó la iglesia, casa para los padres, casa para los soldados, un almacen y un hospital, además practicó la agricultura y ganaderia.

El Padre Wenseslao Link, nativo de Bohemia fué nombrado ministro de la misión. Después de un breve tiempo en Santa Gertrudis aprovechó para aprender el idioma Cochimí.

Llegando el padre a la misión, encontró a mas da 300 neofitos que el padre Retz dejó en preparación, en seguida el numero crecio, de tal manera que los padres alrededor, tuvieron que ayudar al padre Link. Ésta padre logró tener mas de 800 cabezas de ganado. El pueblo crecio hasta las 30 familias. La misión siguio creciendo, fabricando una cadena de casas.

El padre Link, como el padre Consag, hizo numerosas expediciones hacia el norte, hayendo sitios convenientes para futuras misiones. El Padre Victoriano Arnés fué mandado para asistirlo Padre Link, el cual siguio explorando el territorio norte. Pronto el jóven Padre Juan Jose Diez fué mandado para asistir de tal manera que la misión no quedara sola en personal. Hoy día la misión cuenta con sólo una familia que se encarga de mantenerla.

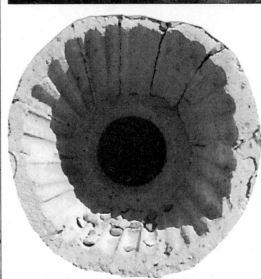

Clockwise from top left: back view of the mission; stone water reservoir; front window; principal door with belfry above; grass near foundation after rain; mission ends and where adobe dwellings begin; ruins of the boarding house.

Mirar en círculo desde la parte superior izquierda hacia la derecha: vista trasera de la misión; pila hecha de piedra; pintoresca ventana al frente de la misión; la puerta principal y su campanario arriba; el cimiento de la iglesia despues de una lluvia; final de la misión, y principio de la construcción de adobe; ruina de la puerta de acceso a las viviendas de los nativos.

Clockwise from top left: ruins of the local adobe houses; sacristry window; side view of the mission; more ruins of the local adobe houses; part of the exterior column.

Mirar en círculo desde la parte superior izquierda hacia la derecha: ruinas de las casa provivionales hechas de adobe; ventana de la sacristia; parte de un costado; ruinas de las casa provisionales hechas de adobe; aspecto inferior de una columna en el exterior.

Clockwise from top left: sacristy ceiling; interior column; view of the interior; interior house door; typical room, no plaster.

Mirar en círculo desde la parte superior izquierda hacia la derecha: el cielito de la sacristía; columna interior con su arco; vista actual del interior; puerta del interior de la casa; el techo típico de un cuarto, sin emplaste.

Clockwise from top left: church ceiling with adobe plaster; holy water fount; window above the side door; stone carved ornament; antique altar with sculpture of San Borja; view of the back of the church and choirloft.

Mirar en círculo desde la parte superior izquierda hacia la derecha: un aspecto del cielito de la misión emplastado con lodo; fuente de agua bendita; ventana encima de la puerta lateral; ornamentos en piedra propios de la iglesia; el altar antiguo con la imagen de San Borja, y el altar nuevo sostedido por una torre de la misión; salida de la misión y el coro.

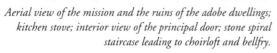

Aerial view of the mission and the ruins of the adobe dwellings; kitchen stove; interior view of the principal door; stone spiral staircase leading to choirloft and bellfry.

La vista de la misíon y la ruina del los habitación de adobe, en piedra; una estufa hecha de piedra; lado interior de la puerta principal; escalera de piedra en aspiral para subir al coro.

Santa María de los Angeles (1767)

n 1766, Padre Link made an exploration further north to San Fernando Velicata to find a site for a new mission. He finally decided to found the mission a little south at Calamajue.

Padres Arnes and Diaz left San Borja in October of 1766 with 10 soldiers and 50 new converts. They moved the site of the mission closer to the gulf coast where water was more abundant.

Three miles from Santa Maria, the port of San Luis Gonzaga was founded in 1746 by Padre Consag. It served as the main route, sea and land, from the interior of the mainland all the way to San Diego, California.

With the expulsion of the Jesuits in 1768, the mission was handed over to the Franciscans. After two months, the mission was transferred north to San Fernando Velicata. Santa Maria remained as a port and sub-mission where the Padres would receive supplies and attend to the spiritual needs of the natives. San Fernando, located closer to the Pacific, was used to send supplies northward by sea.

Santa Maria de Los Angeles was the last mission of the Jesuits in Baja California. Thus ended the incredible and mystical work of the Jesuits who gave birth to the missions that extend northward.

l Padre Link, en 1767, hizo una exploración hasta San Fernando Velicata proponiendo la fundación de una nueva misión, que fue fundada en Calamajue. Los Padres Arnes y Diez, salieron de San Borja en octubre de 1766, con 10 soldados y 50 neofitos con rumbo 30 40' latitud norte, cerca del monte Juzai y a unos kilometros del golfo. Pronto empezaron la doctrinación de la población, pero el agua resultó muy salada, causando esto el abandono de la misión.

Al año siguiente, en mayo de 1767, cerca del arroyo Cabujakaamug, a 31 latitud norte, el Padre Arnes fundó la última misión de los Jesuitas. El sitio quedó 12 kilometros cerca del golfo. El agua era abundante y de muy buena calidad, dando esto buenas esperanzas a los habitantes y al padre de levantar unas muy abundantes cosechas.

El Padre Link, construyó la capilla y la casa de los padres. El puerto hallado por San Luis Gonzaga y fundado por el padre Consag en 1746. Serviría en el futuro como ruta de viaje por mar y tierra, del interior al norte, hasta San Diego, California.

En el año 1768, la misión fue entregada a los Franciscanos, para después de unos meses, ser abandonada a favor de la misión San Fernando Velicata, a 77 kilometros de Santa María y una corta distancia al pacífico, la misión quedó como lugar de visita y estación de viaje. Fue abandonada en 1812. Actualmente solo existen sus ruinas.

The following missions were established after the expulsion of the Jesuits from Baja California. The first two were founded by the Franciscans, the remainder founded by the Dominicans.

Las siguientes misíones fueron establecidos después la expulción de los Jesuitas de la Baja California. Las primeras dos misíones fueron establecidos por los Franciscanos, y los demas fueron establecidos por los Dominicos.

San Fernando Rey de España de Velicatá
Visita de la Presentación

Nuestra Señora del Rosario de Viñadaco
Visita de San José de Magdalena
Santo Domingo de la Frontera
San Vicente Ferrer
San Miguel Arcángel de la Frontera
Santo Tomás de Aquino
San Pedro Mártir de Verona
Santa Catalina Vírgen y Mártir
Visita de San Telmo
El Descanso
Señora de Guadalupe del Norte

Clockwise from top left: Virgin of Guadalupe; statue of the Virgin Mary; San Andres; antique crucifix; San Ignacio; another statue of the Virgin Mary; unknown saint. These paintings and statues are from the museum in Loreto. They represent some of the art displayed at the museum, that were transferred from other missions.

Mirando de la izquierda hacia la derecha desde la parte superior izquierda: La Virgen de Guadalupe; estatua de la Virgen María; San Andrés; crucifijo antiguo; San ignacio; otra estatua de la Virgen María; santo desconocido. Estos cuadros y estatuas son del museo de Loreto. Representan el arte que se encuentra en el museo y que fue transferido de otras misiones.

Statues of the Missions

These statues exemplify the art of the period. The statue of the Virgin of Loreto is the original one brought on shore by the padres in October of 1697, at the site of the Mission of Loreto. These antiques are lovingly cared for and dressed for the seasons.

Estas estatuas ejemplifican el arte de la época. La estatua de la Virgen de Loreto es la original, traida por los padres en Octubre de 1697, al sitio donde se encuentra la Misión de Loreto. Estas antiguedades son cuidadas amorosamente y vestidas de acuerdo a la temporada.

Virgin Purísima
La Purísima

Virgen de Pilar
La Paz

Virgen de Guadalupe
Nuestra Señora de Guadalupe

Virgen del Pilar
Todos Santos

Virgen de Loreto
Loreto

Santiago Apostol
Santiago de los Coras

Santa Rosalia de Mulege
Santa Gertrudis

Santa Gertrudis la Magna
Santa Gertrudis

San Francisco Javier
San Javier

San Carlos Borromeo
Loreto

Nuestra Señora del Rosario
Santa Gertrudis

San Stanislao
Loreto

Virgen y el niño
San Francisco Javier

San José y el niño Jesús
Loreto

Cristo en la cruz
Santa Gertrudis

Paintings of the Missions

Many of these paintings are deteriorating and showing the ravages of time. Very difficult to photograph, due to obstruction by existing ceiling fans and the ability to light properly, some of these paintings have been cropped.

Muchas de estas pinturas se están deteriorando y muestran los estragos del tiempo. Muy difícil fue tomar una fotografía a causa del su ubicación y por falta de luz adecuada, algunas de estas pinturas han sido recortadas

Clockwise from top left: Santo Domingo (M.L.); San Miguel Arcangel (M.L.0); San Andres (M.L.); San Juan de la Cruz (M.L.); San Benito (M.L.); Anon.

Mirar en circulo desde la parte superior izquierda hacia la derecha: Santo Domingo (M.L.); San Miguel Arcangel (M.L.0); San Andrés (M.L.); San Juan de la Cruz (M.L.); San Benito (M.L.); Anon.

Clockwise from top left: A close-up of the Virgin's face; Saint Luis Gonzaga (M.S.J.C.); Saint Anthony of Padua (M.S.J.C.); The Assumption (M.S.J.C.); Saint Paul (M.S.J.C.); the same; Saint Ignacious (M.S.J.C.).

Mirar en círculo desde la parte superior izquierda hacia la derecha: un acercamiento al rostro de la Virgen; San Luis Gonzaga (M.S.J.C.); San Antonio de Padua (M.S.J.C.); Virgen de Asuncion (M.S.J.C.); San Pablo (M.S.J.C.); anon; San Ignacio (M.S.J.C.)

The main altar of the Mission of San Javier; close-up of the statue of San Javier; close-up of the main tabernacle; the altar is very detailed and is very hard to see. These photos along the bottom are part of the altar and represent Matthew, Mark, Luke and John.

El atar principal de la Misión de San Javier; foto de la estatua de San Javier, de cerca; foto del tabernáculo principal, de cerca; el altar es lleno de detalle que es difícil ver. Las fotografías en la parte inferior son parte del altar y representan a Mateo, Marcos, Lucas y Juan.

Clockwise from top left: the top two photos are close-ups of angels that decorate the main altar of San Javier; original nativity scene; crucifix; chalice; side view of the statue of San Javier; candelabra.

Mirar en circulo desde la parte superior izquierda: las dos fotografías en la parte superior son de los angeles que decoran el altar principal de San Javier; foto de un original de la natividad; crucifijo, caliz; vista de un lado de la estatua de San Javier; candelabro.

The photos on this page show the
original antependium (cloths that
hang in front of the altar) of the
Mission of San Javier.

*Las fotographía en esta página
muestran el antependium original
(la tela que cuelgan al frente del
altar) de la misión de San Javier.*

Side altars of the Mission San Javier; close-ups of the statue of the Virgin of Sorrows and San Ignacio; close-up of the tabernacle of the top altar.

Altares de los costados de la Misión San Javier; la estatua de la Virgen de los Dolores y San Ignacio, de cerca; el tabernáculo del altar superior, de cerca.

The main altar of the Mission San Ignacio with close-ups of the statue and tabernacle; close view of the main door at San Ignacio shows the intricate woodwork.

El altar principal de la Misión de San Ignacio con la estatua y el tabernáculo, de cerca; vista de cerca de la puerta principal en San San Ignacio, muestra el trabajo intrico de la madera.

Side altars and selected close-ups of the altar paintings from the Mission San Ignacio; candelabra of the Mission San Ignacio.

Altares de los costados y pinturas del altar de la Misión San Ignacio, de cerca; candelabro de la Misión San Ignacio.

YO SOY EL PAN DE VIDA

Clockwise from top right: the beautifully restored altar at Loreto; the original statue of the Virgin of Loreto brought ashore by Padre Kino in 1697; Michael the Archangel; the coronation; the dead Christ in a wood carved tomb used on Good Friday; San Andrés.

Mirando de la parte superior izquierda hacia la derecha: El bello altar restaurado en Loreto; la estatua original de la Virgen de Loreto traido a tierra por el Padre Kino en 1697; el Arcángel Miguel; la Coronación; Cristo muerto, en una tumba labrada en madera usada los Viernes Santos; San Andrés.

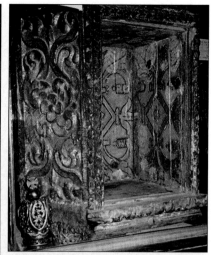

Clockwise from top left: Virgin and Child (M.L.).; confessionary (S.G.); Tabernacle inside and outside views (S.G.); the statue of San Luis Gonzaga, recovered in March 1995 after missing for over 50 years; Peter and Paul (M.L.); two different views of the Visitation (M.L.).

Mirando de la parte superior izquierda: La Virgen y el Niño (M.L.); el confesionario (S.G.); vistas internas y externas del tabernáculo (S.G.); la estatua de San Luis Gonzaga que fue recuperada en marzo de 1995 después de faltar por más de 50 años; Pedro y Pablo (M.L.); dos vistas diferentes de la Visitación (M.L.).

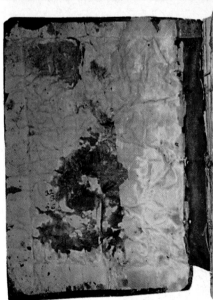

Drawings by Padre Tirsch representing the missions of San Jose del Cabo and Santiago; painting of Madonna and Child on tin ; statue of San Borja, this antique book is the baptismal ledger for La Paz.

Dibujos hechos por el Padre Tirsch representando las misiones de San José del Cabo y Santiago; pinturas de la Madona y el Niño en estaño; estatua de San Borja, libro antiguo, registro bautismal de La Paz.